Usborne
First hundred words
in German

Sticker Book

Heather Amery
Illustrated by Stephen Cartwright

Designed by Mike Olley and Jan McCafferty

Translation and pronunciation guide by
Mairi Mackinnon and Fiona Chandler

 Match the German words above each picture to the
words on the stickers to find where the stickers should go.
There is a little yellow duck to find in every picture.

Das Wohnzimmer

Vati   Mutti   der Junge

das Mädchen   das Baby   der Hund   die Katze

Die Kleidung

die Schuhe die Unterhose der Pullover

das Unterhemd   die Hose   das T-Shirt   die Socken

Das Frühstück

das Brot   die Milch   die Eier

der Apfel   die Orange   die Banane

Die Küche

der Tisch   der Stuhl   der Teller

das Messer   die Gabel   der Löffel   die Tasse

Die Spielsachen

das Pferd   das Schaf   die Kuh

das Huhn   das Schwein   der Zug   die Bau-
klötzchen

11

Bei Oma und Opa

Oma   Opa   die Hausschuhe

der Mantel   das Kleid   die Mütze

Der Park

die Blume   der Baum   die Schaukeln   der Ball

14

die Rutschbahn   die Stiefel   der Vogel   das Boot

Die Straße

das Auto   das Fahrrad   das Flugzeug

die Seife
soap

rot
red

die Zehen
toes

die Tasse
cup

die Banane
banana

die Haare
hair

das Flugzeug
plane

die Kuh
cow

die Unterhose
pants

das Boot
boat

der Junge
boy

das Brot
bread

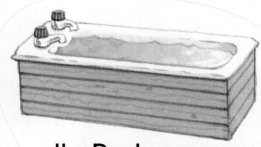

die Badewanne
bath

die Uhr
clock

der Mantel
coat

**die Bau-
klötzchen**
bricks

die Rutschbahn
slide

die Kekse
biscuits

weiß
white

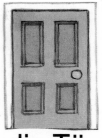
die Tür
door

3 drei
three

das Bett
bed

Oma
Granny

das Huhn
hen

das Kleid
dress

das Mädchen
girl

grün
green

die Stiefel
boots

die Ente
duck

das Auto
car

das Baby
baby

das Haus
house

die Lampe
lamp

das Bein
leg

blau
blue

der Po
bottom

der
Pullover
jumper

der
Baum
tree

die Augen
eyes

der Tisch
table

der Apfel
apple

der Hund
dog

das T-Shirt
T-shirt

die Eier
eggs

das Buch
book

der Kamm
comb

der Vogel
bird

die Füße
feet

Vati
Daddy

rosa
pink

der Bus
bus

das Fenster
window

die Hausschuhe
slippers

der Arm
arm

die Puppe
doll

der Löffel
spoon

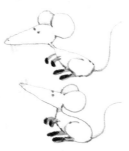

2 zwei
two

I eins
one

das Fahrrad
bicycle

die Mütze
hat

das Eis
ice cream

die Nase
nose

der Fisch
fish

schwarz
black

das Schwein
pig

der Stuhl
chair

die Katze
cat

der Ballon
balloon

das Handtuch
towel

die Hand
hand

4 vier
four

der Ball
ball

die Bonbons
sweets

die Gabel
fork

der Teller
plate

die Toilette
toilet

der Zug
train

der Mund
mouth

Mutti
Mummy

die Orange
orange

die Socken
socks

die Hose
trousers

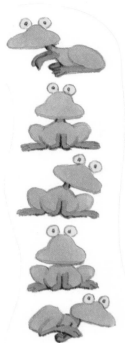

5 fünf
five

die Schaukeln
swings

der Bauch
tummy

die Schuhe
shoes

die Milch
milk

der Kuchen
cake

der Teddy
teddy

das Schaf
sheep

das Unterhemd
vest

der Lastwagen
truck

die Blume
flower

das Pferd
horse

Opa
Grandpa

gelb
yellow

die Ohren
ears

die Bürste
brush

das Messer
knife

der Kopf
head

der
Lastwagen

der Bus

das Haus

Die Party

der Ballon   der Kuchen   die Uhr

das Eis   der Fisch   die Kekse   die Bonbons

Das Schwimmbad

der Arm   die Hand   das Bein

die Füße   die Zehen   der Kopf   der Po

Der Umkleideraum

der Mund   die Augen   die Ohren

die Nase   die Haare   der Kamm   die Bürste

Das Geschäft

rot   blau   grün

24

gelb   rosa   weiß   schwarz

Das Badezimmer

die Seife   das Handtuch   die Toilette

die Badewanne der Bauch die Ente

Das Schlafzimmer

das Bett   die Lampe   das Fenster

die Tür   das Buch   die Puppe   der Teddy

Match the words to the pictures

der Apfel

das Auto

der Ball

die Banane

das Buch

das Ei

das Eis

die Ente

das Fenster

der Fisch

die Gabel

der Hund

die Katze

der Kuchen

die Kuh

die Lampe

das Messer

die Milch

die Mütze

die Orange

der Pullover

die Puppe

das Schwein

die Socken

die Stiefel

der Teddy

der Tisch

das Unterhemd

die Uhr

der Zug

Die Zahlen

1 eins

2 zwei

3 drei

4 vier

5 fünf

1 eins   2 zwei   3 drei   4 vier   5 fünf